STAGE.24

하아아앗!!

시즐러 화이트
(양산형 건버스터)

아아앙

CONTENTS

은하
중심
돌격
함대

엘트리움
함내

기함
엘트리움

뭘 그렇게
감상에
빠져
있어?

노리코.

버스터 머신
1호기 파일럿
타카야 노리코

정말?

아녜요!

이제 와서
향수병?

파일럿 제군들.
제30차 99번구
부설 작업의
호위 임무,
수고들 많았네.

함대
사령관
타시로다.

버스터 머신
2호기 파일럿
융 프로이트

이제
블랙홀 폭탄의
기폭 병기가 될
버스터 머신
3호기의 도착을
기다리기만
하면 돼.

드디어
최종
국면을
맞이하게
되었다.

자,
카르네아데스
계획도
이번 슬레이브
부설로 인해

이상.

……

앞으로도
계획이
종료될 때까지,
긴장을
늦추지 말고
지속적인 활약을
기대하겠네.

이는
전적으로
제군의
노력이
빚어낸
결과다.

현재 우리
타임 스케줄은
지연도는
고작 0.3%밖에
지연되지
않았으며,

됐다니까 그러네. 페어를 짰으면 서로 거북한 점은 없어야 할 것 아냐.

아… 예! 죄, 죄송합니다….

…저어, 융 씨….

융!

내가 몇 번을 말해야 알아 들어?

존댓말 쓰지 말라고

네……?

드디어 우주 괴수를 섬멸할 때가 왔구나 싶어서….

아, 그게…

그래서… 뭔데?

정말로 이런 작전밖에 없는 걸까…?

… 그렇지 …

…그러게. 뭐, 무사히 성공했을 때의 얘기지만

저기… 설마 이제 와서 작전 규모에 겁먹었단 소릴 하려는 건 아니겠지?

불만이 있는 건 아닌데…

무슨 불만이라도 있어?

…그런 건가….

설명하긴 힘들지만, 자꾸만 뭔가 걸린단 말이야.

깊게 고민할 것 없이, 이 작전을 우리가 자연계에서 살아남기 위한 적응 행동이라고 생각하면 돼.

하여간… 정신 좀 차려.

나중에 태어날 인류에게 맡기는 수밖에 없잖아.

이 행동이 옳았는지 아닌지에 대한 판단은

그저 하나의 생명체로서 살아남기를 바라고 행동한 결과니까.

거기엔 선의도 없고 악의도 없어.

얼마 되지
않더라도
살아남을
가능성이
있는 쪽에
걸고 싶어.

적어도 나는
지금 싸우지 않고
확실하게 찾아올
죽음을
기다리기 보다는

그게 설령
우리가 사는
세계를
부수는 결과가
되더라도
말이야.

......

진짜 대답은
나중에 다시
찾아볼게.

사실은
나도 그렇게
나 자신을
납득시키고
있을
뿐이니까.

거창한
소리를
해버렸
지만,

─뭐
이렇게

이럴 때

언니
였다면
뭐라고
했을까?

응.

뭘 물어 보려고 해도 방도가 없잖아.

어쨌든… 현역을 은퇴해서 지구에 남아버린 애한테

아… 안 그래!

걔도 이론만 앞서서 어차피 대단한 답은 안 나와.

아하하.

그 자식… 드디어 콧대를 꺾어주나 싶었는데 도망치기나 하고 말야…

언니, 키미코, 타카미─.

모두 잘 지내고 있으려나─.

엘트리움
함교

놈들이
이쪽
계획을
눈치챈
걸까요?

요즘 들어
슬레이브를
부설할
때마다
습격해
오는군요.

규모
약
100만!

적입니다!!

왔구나!

사령관님!
좌표
1 · 17 ·
92에서
중력진
(重力震)
반응.

전 함대
전투
준비!

...그럴지도
모르지.
허나
지금은
우선
싸워야 해.

좋아…

사령관님, 적 선두 집단이 사정거리에 들어왔습니다.

전투 개시!

하아아아앗!

시즐러 블랙

시즐러는
건버스터를
보다
실전에 맞게
개선한
기체니까요.

시즐러
블랙 부대,
적의 제3층을
돌파했습니다.

CyzlerBlack

시즐러 주임기사

예,
사령관님.

시즐러도
순조롭게
전과를
올리고
있군.

양산화함으로써 병력의 분산 운용이 가능해졌고, 전술 병기로도 사용 가능.

실제 전력으로는 건버스터조차 능가합니다.

…그렇다면 좋겠지만…

카르네아데스 계획 정도는 충분히 수행 가능한데 말이죠.

솔직히 건버스터 따위 없더라도, 시즐러 한 부대만 있으면

실패는 용납되지 않아.

사령관님!!

쿠—!! 시즐러 실버 부대를 내보내라!

…우리는 이 계획에 지구 시간으로 이미 10년 이상을 소모했네.

초 중순양함급이 육탄 공격을 가하려는 모양입니다.

적의 움직임에 변화가…!

적의 공격
제2파,
옵니다!

빌어먹을!

그럴
수가…!!
시즐러가
일격에…?!!

적의 공격으로
시즐러 실버
4호기 및
엑셀리온급
3번함 폭발!

이걸로
몸을
보호
하도록
해.

히익…!

괜찮아.

거…
건버스터는
…?

우리에겐 아직 비장의 무기가 있으니까.

버스터 실드도 없이 뭘 어쩔 셈이야?!

무모한 짓을ー!

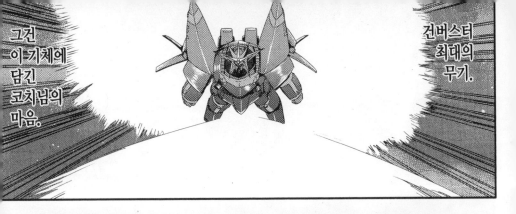

그건
이 기체에
담긴
코치님의
마음.

건버스터
최대의
무기.

그리고—

적 초 중순양 함급의 폭발을 확인!

저게 바로 건버스터 라네, 주임.

마… 말도 안돼. 과학 법칙을 무시하고 있잖아…

수없이
많은 위기를
헤쳐 온

우리의
수호신이지.

2048년
오키나와

벌써
15년이
흘렀네요.

…당신이
떠난 지도

오오타 코이치로
2033년 12월 19일 사...

여기에
계셨군요.

오오타
카즈미 씨.

STAGE.25

오키나와 여자 우주 고등학교 신교사

드디어 출발 이네요, 오오타 씨….

정말로 머나먼 존재가 되어버리는 군요….

현역에서 은퇴했던 오오타 씨가 버스터 머신 3호기의 파일럿이 되시다니…

이렇게 배웅까지 나와주셔서 정말 고맙습니다, 카시하라 교장선생님.

한 번도 아니고 두 번씩이나 인류를 구하는 영웅이 되려고 하는 거니까.

결국 마지막까지 이루지 못하고 끝나겠네요….

당신이 우주로 출발할 때는 곧바로 따라잡겠다고 말했는데,

그건 노리코에게나 어울리는 말이죠.

너무 과찬인 걸요.

제가 영웅 이라니…

당시의 저는 노리코와 코이치로 씨가 이끌어줘서

간신히 싸울 수 있었으니까.

타카야… 말이죠?

예에.

그런 마음의 소유자를 가리키는 말이라는 걸 노리코와 그 사람에게 배웠거든요.

진정으로 강한 영웅이라는 건, 아무리 좌절하더라도 몇 번이고 다시 일어서는

그랬군요.

그린 마음으로 버스터 머신 3호기 파일럿에 지원한 거예요.

이번에는 제가 그 아이에게 조금이라도 도움이 될 수 있다면….

가르쳐 주셔야 겠지?

진짜 이유를

당시의 저는 타카야에게 너무도 심한 짓을 저질렀어요.

지금은 생각만 해도 부끄럽고… 바보 같았던 기억이에요.

죽여 버리겠어!!

타카야는 정말로 훌륭하게 성장했지요.

…그런데도

34

무서운 것도 모른 채 무턱대고 돌진하며 뭐든지 할 수 있다고 생각했으니까.

...생각해 보면, 젊음이라는 것도 하나의 무기였을지 모르겠네요.

후훗... 그것도 다 젊었다는 증거 아니겠어요?

다시 만날 기회가 있다면, 햇살이 눈부셨던 그 무렵의 얘기를 함께 나누고 싶네요.

속내를 다 드러내고 맞서 싸웠던 그때가 그리워요.

오오타 코치님!!

우르르

타카미, 다들… 무슨 일이야…?

어머… 일부러 접어준 거야? 고마워라.

같이 데려가 주세요!

코치님… 이거 저희가 접은 종이학 천 마리 예요.

응, 전해줄게. 노리코 언니에게 전해 달라고.

그리고 이거… 저희 어머니께 받아온 편지예요.

타카야 노리코에게

꼭 무사히
돌아오셔야
해요…!

저어…
우주에
가시더라도
저희를
잊지
마시고…

그…
그치만….

애들도 참…
왜 그렇게
슬픈 얼굴을
하고 있어.

30년 정도
헤어지겠지만…
어차피
다시 만나게
될 텐데.

!!

설마하니
우주 괴수 따위에
패배하고
돌아오지
못할 거라
생각하는 건
아니겠지?

너희들이…
뒤에서
'오키 여고의
흑장미'라
부르는 내가

너희가 날 어떻게 생각하는지 정도는 잘 알고 있거든.

그 밖에도 이것저것 다

슬렁~ 슬렁

어떻게 그 별명을…?

예…? 아, 저어… 그게….

다들 기대해도 좋아.

안심들 해. 다음에 만날 때까지 스페셜한 특훈을 마련해둘 테니까.

오오타 씨, 슬슬 시간이 됐습니다….

아… 네…!

내가
없는 동안
몸 건강히
잘 있도록.

자, 여러분,
나는 반드시
돌아올 테니까

…네.

다녀올게.

그럼

하와이 제1궤도 로프웨이 기지

오스트레일리아 대륙

노리코와
함께
싸웠던
태양계
절대 방위
작전으로
부터
15년.

…몇 번을
봐도
참혹한
광경이야….

하지만…
그 덕분에
살게 된 생명도
분명히 있어.

성계 내에서
블랙홀을
생성시킨 대가는
결코 가볍지
않았다.

우주
괴수를
격퇴
하는 데
성공은
했지만

나는
이걸 타고
또 다시
전장으로
돌아간다―.

버스터
머신
3호….

사랑하는
학생들을
지키기
위해.

고오오오..

버스터
머신 3호
준비실

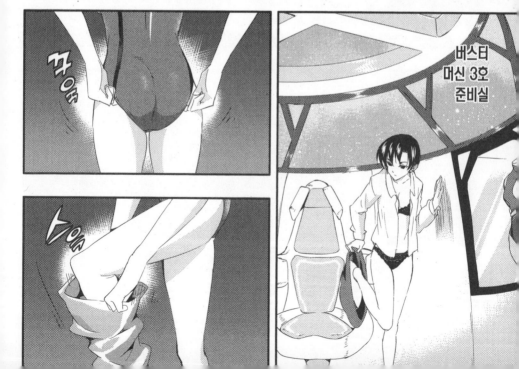

카피. 오오타 중령님, 무운을 빕니다.

...오랜만에 만나겠네, 노리코.

준비 완료. 예정 시각 01:00에 발진 하겠습니다.

여기는 관제실. 모니터링 문제 없음.

아공간 소나 작동 양호. 배니싱 모터 접속

삐이이이이이

축퇴로 내압력 상승. 에테르 파동치 +3으로 수정.

삐 삐

로슈 캔슬러 기동.

워프 개시!

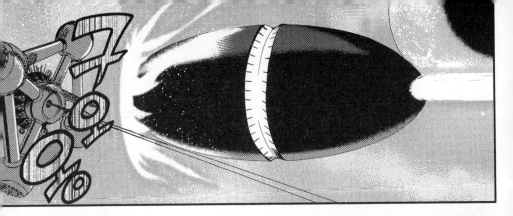

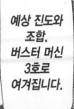

예상 진도와
조합.
버스터 머신
3호로
여겨집니다.

중력진 관측.
매그니튜드
7.7.

매그니튜드 7.7.

어… 어마어마 하군….

정보상으로 알고는 있었지만 이 정도로 거대할 줄은….

이것이 블랙홀 폭탄, 버스터 머신 3호라고…?!

중심부에는 3만분의 1로 압축한 목성이 핵으로서 봉인되어 있습니다.

장경 869km, 단경 415km.

이렇게나 거대한 물체를 만드는 수준까지 왔단 말인가…!!

인류의 과학 기술은

버스터 머신 3호의 파일럿이라곤 해도, 어차피 장식이잖아.

뭐 어때…

후아~앙

뭐 하러 우리가 마중까지 나와야 하는 거야…?

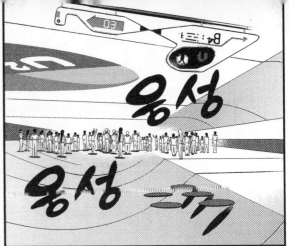

응~.

아, 저기 오시나 보다.

짝짝짝짝

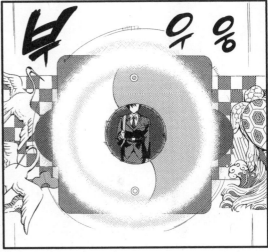

부 우 응

…아니… 설마….

저 사람…

… 어라?

뚝뚝

?!!

신고합니다.
이번에
군무로 복귀한
오오타 카즈미
중령,

신1호 작전,
은하 중심
돌격 함대로
위양함을
함대 사령관님께
보고드립니다.

현 시간부로
카르네아데스
계획 본부
직할
버스터 머신
3호를

말도
안 돼…

으음…

수고
많았네…

잠시 실례
하겠습니다.
사령관님.

그래.

…잘
어울린다.

미리…
길렀구나.

…아…

어….

설마
네가 올 줄은
생각도 못 했어.

코치가
적성에
안 맞는
다는 걸
이제야
깨달았나
보지?

아니
거든?

지금도
학생들이
잘하고
있을지
얼마나
걱정인데….

나는
걱정을
사서 하는
팔자라….

아…
고맙습니다,
언니….

15년―.

잘 지낸 것
같아서
정말
다행이다.

노리코 일도
지구에 있던
15년간
머리에서
떠난 적이
없다니까.

오오타
중령님.

아…
아니,

우리들
사이에서
축적된 시간이
변하는 건
아니니까.

아무리
시간이
흘렀다
해도

…왜
그래?

평소처럼
해,
노리코.

어….

역시…
언니는
변하지
않으셨구나.

…네.

그치?

노리코 같은 우주 파일럿이 되겠다면서 어찌나 열심인지.

그 아이… 지금 내가 가르치는 학생 이거든.

아카이 타카미를 기억하고 있니?

아, 맞다.

그럼요!

지금 고등학교 3학년 이니까

딱 너 만한 나이네.

예…?

와—…. 타카미가….

봐봐. 이게 요즘 사진이야.

벌써 그렇게…. …하긴, 15년이 흘렀으니 까요….

…그리고
노리코에게
보내는
편지를
받아왔지.

와아…
정말로
키미코랑
붕어빵이네.

짐 놔두고
다시 올게.

네.

키미코
한테서요?!

타
카
야

타
카
야

노

후우…

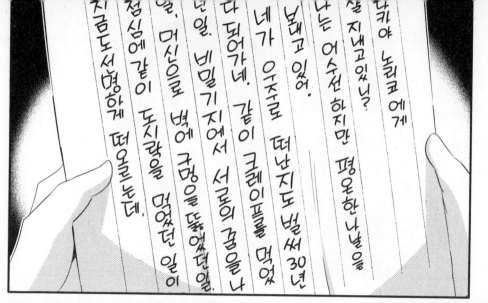

타카야 노리코에게

잘 지내고 있니?

나는 어수선하지만 평온한 나날을 보내고 있어.

네가 우주로 떠난지도 벌써 30년 이 되어가네. 같이 그레이플을 먹었 던 일. 비밀기지에서 서로의 꿈을 나 눴던 일. 머신으로 벽에 구멍을 뚫었던 일. 점심에 같이 돗자락을 먹었던 일이 지금도 선명하게 떠올르는데,

내가 살아있는 동안 너를 다시 만날 수 있다면 얼마나 좋을까. 설령 그 소원을 이루지 못한다 해도

넌 언제까지나 너를 기다릴거야

그러니까 부디 건강 조심하고 잘 지내

아카이 키미코가 우린 언제까지나 친구야

고마워, 키미코….

나도 빨리 만나고 싶다….

지금부터
버스터 머신
3호의
기폭 시퀀스를
개시합니다.

반경
3억㎞ 이내에
적은 보이지
않습니다.

집합
지점은
오리온 팔,
포인트
707.

각 함에 전달.
제3차 축퇴가
확인되면
초장거리
워프로
이탈할 것.

그래….

오랜 세월에 걸친 싸움이지만, 이로써 끝을 맺겠군.

드디어 시작이군요, 사령관님.

지구를 출발하고 나서

그쪽은 이미 30년이 흘렀으니, 뭘 하고 싶어도 친구들은 이미 이 세상 사람들이 아닐 거야.

줄곧 전쟁이 이어져 왔으니까요….

지구로 돌아간 뒤의 예정은 있으십니까?

…그래?

만약 정말 아무도 남아계시지 않으면, 절 친구로 생각하셔도 됩니다만?

호오... 저에게 이길 작정이시라고요...?

그럼 남은 여생은 자네와 바둑이나 두면서 승수를 쌓아가기로 할까?

사령관님께서는 영생을 노리시는 것 같군요.

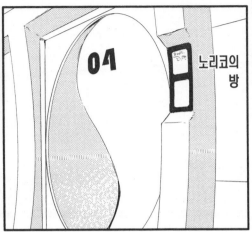

노리코의
방

고마워.

드세요,
언니.

앗, 뜨!!

알아,
알아.

노리코,
내 건
설탕이랑
밀크 듬뿍.

카즈미는 왜 다시 군으로 복귀할 마음을 먹게 된 거야?

그래서...

정말요? 고맙습니다.

맛있다.

하지만 그 대신 융과 노리코에게 많은 폐를 끼쳐 버렸잖아ー.

......

퇴역하고 나서 15년, 정말로 멋진 날들을 보낼 수 있었어.

......

지금밖에 없다는 생각이 들었거든….

버스터 머신 3호 얘기를 들었을 때, 너희에게 은혜를 갚으려면

이제는 무사히 블랙홀 폭탄을 기폭시키기만 하면 임무는 완료네.

그리고 이렇게 버스터 머신 3호 운송도 마쳤으니.

노리코는 블랙홀 폭탄을 사용하는 게 싫대.

왜 그래, 노리코?

?

......

그냥 좀 마음이 편치는 않다고 해야 하나...

따... 딱히 싫어하는 건 아냐...

우물

우물

인류에게 꼭… 필요한 일이라는 건 알아요.

저도 그렇게 생각해서 전력으로 싸워왔던 거니까.

하지만 그걸 위해서 관계도 없는 별까지 끌어들여야 한다는 게…

좀 마음에 걸려서….

꼬옥…

노리코는 변함없이 다정하구나.

…아냐.

…아,

안 되겠죠? 군인이 이래서야…

지구의 지축도 틀어져서 막대한 피해가 발생했어.

태양계 절대 방어 작전 때도 우리가 발생시킨 블랙홀 때문에 행성 3개가 희생당했고

카즈미….

살아남기 위해서는 어쩔 수 없는 일이었다고.

하지만 그때 그렇게 하지 않았다면 우리는 분명 멸망했을 거야.

누구도 알 수 없겠지.

지켜낸 것과 잃은 것, 객관적으로 어느 쪽이 더 막심했는지는

......

사랑하는 학생들을 지키기 위해. 무엇보다. 그 사람이 지켜낸 것을 지키기 위해서라도

나는 기꺼이 모든 것을 바치겠어.

...만약 지금의 내가 그때로 돌아간다 하더라도

나는 싸울 거야.

...맞아.

너의 답은 네기 직접 찾아낼 수밖에 없어.

노리코도 그렇게 생각해야 한다는 건 아니야.

...하지만 이건 어디까지나 내 생각이지

우리의 모든 행동들이 옳았는지 아닌지

모두가 상처 입으면서도 싸우고 점차 각자의 해답을 만들어가는 법이니까.

그에 대해 절대적인 답을 내 놓을 수 있는 사람은 없어.

…그렇지만 말이지, 노리코.

……

싸움이 너를 괴롭게 한다면

그 괴로움의 절반은 내가 짊어질게.

언니….

내 마음은 언제나 너와 함께 있는걸.

혼자서 고민할 필요는 없어.

불꽃이라는 글자(炎)는 두 개의 불(火)이 하나의 글자로 형태를 이룬 거잖아.

코이치로 씨는 우리를 가리켜서 불꽃이라 불렀지.

※불꽃 염.

고민도 괴로움도 즐거움도 기쁨도 둘이서 하나.

나의 불을 네가 앞에서 이끌어주는 거야.

너의 불을 내가 뒤에서 받쳐주고

너는
혼자가
아니야.

나와 함께
해답을
찾아보자,
노리코.

네...
언니.

......

모두
너와
함께니까.

나만이
아니라,
융도 키미코도
타카미도.

카즈미에게는
못 당하겠네....

하아...
역시...

......

무슨
일인가?

지난번 전투 직후 워프해 온 우리의 위치를 대체 어떻게…?

말도 안 돼! 이렇게 정확하게 우리 위치를 계산해냈다고…?!

제34함대 부근 함대 내부에 적이 워프 아웃 했습니다!!

적습 입니다!

공세의 규모를 볼 때, 아마도… 최종 결전을 시도할 셈인 모양입니다!

블랙홀 폭탄을 눈치챘단 말인가?!

적 제2기

13집단

적 제1집단

버스터 머신 3호

적은 버스터 머신 3호에 육탄 공격을 가하려는 것 같습니다.

전력으로 적의 공세를 저지하라!!

이럴 수가….

제34함대 전투 능력 소실

안 됩니다!
슈퍼 엑셀리온급의
공격으로는
당해낼
수 없습니다.

머신 부대의
출격을
서두르도록!

넷!!

앞으로 56분.
블랙홀 폭탄의
폭축이
시작될 때까지,
어떻게든
막아다오…!

나도 갈게!
예비 시즐러가
남아있을까?

가자,
융!

적습?!

너희의
노움이
되고
싶어.

나도
싸우게
해줘.

언니…!

처음 만났을 때부터 카즈미는

나의 불을 네가 앞에서 이끌어주는 거야.

너의 불을 내가 뒤에서 받쳐주고

...그런 말을 하면 이길 수가 없잖아.

나와 함께 해답을 찾아보자, 노리코.

우승 아마노 카즈미!

항상 내가 원했던 것들을

독차지 했다.

그래야 내 라이벌 이지.

...하지만―

항 아

항 아

아니꼽지만, 내 의욕을 불러일으키는 건 아무래도 너밖에 없나 봐.

다음엔 절대로

안 질 거야.

항상 이상한 데서 고집을 부리곤 했었지.

응…. 너는 예전부터 변한 게 없구나….

…그렇지만 너의 그런 점, 싫지는 않았어.

네, 언니!

가자, 노리코!

STAGE.27

적이
본함으로
급속
접근 중!!

주 레이저 포,
목표에
반응 없음!

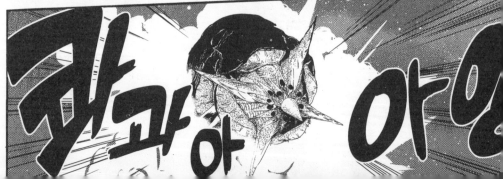

OK.

알았어.

언니!
융!
그걸로
해치우죠!

후속 시즐러 부대, 연이어 교전에 착수!

고오오오

사령관님!

건버스터가 선봉으로 나서면서 전선을 뒤로 밀어내고 있습니다!

크윽….

그렇게 간단히 끝내주진 않겠다는 건가….

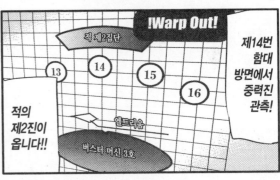

!Warp Out!

적 제2집단

제14번 함대 방면에서 중력진 관측!

13 14 15 16

적의 제2진이 옵니다!!

엘트리움

버스터 머신 3호

시즐러 화이트, 실버를 적의 제2진 쪽으로 보내도록!

네!!

시즐러―

빔―.

쯧...
아무리
해치워도
계속
기어
나오네….

빽
빽

후와앗

쓸데없는
참견
땡큐.

위험
했어.

적의
제3진이
옵니다!

새로운
중력진
관측!!

사…
사령관님!

장소는?!

왜 그러나?

그…
그게….

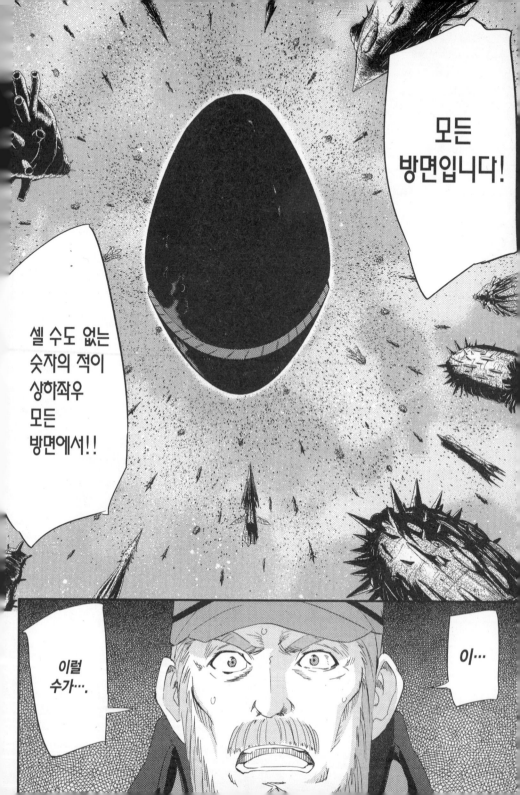

......

그래도 버티는 수밖에 없네.

기적이라도 생기지 않는 이상, 폭축 때까지 버틸 수는 없겠습니다….

본격적으로 끝장을 보려는 것 같군요….

그러나 여기서 블랙홀 폭탄을 폭발시킨다면

이제 두 번 다신 우주 괴수를 두려워하며 살아갈 필요는 없어지지….

십수 년에 걸쳐 준비한 이 계획이 실패한다면

우리에게는 아무런 수단도 남지 않게 돼.

폭축이 시작될 때까지 15분, 어떻게 해서든 사수하라—!!

완전 밀집 진형을 취한다! 절대 공격을 늦추지 말도록!

큭….

지원 요청.
더 이상
버틸 수가
없다.
반복한다—.

여기는
제7함대.

융 혼자
남기고
갈 수는
없어!

무슨
소리야?

노리코, 카즈미.
여기는
나에게 맡기고
저쪽을 지원하러
가줘!

......

그렇지만—

노리코! 우리의 임무는 버스터 머신 3호를 지키는 거야!

착각하면 안 돼.

가자, 노리코.

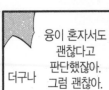

더구나

융이 혼자서도 괜찮다고 판단했잖아. 그럼 괜찮아.

언니!

내 말이 맞지?

넌 여기서 죽을 만한 여자가 아냐….

당연한 소리.

흥,

빔
——
!

버스터
——

네!!

피라미는 상대하지 말고 대형 적들만 해치우는 거야!

노리코! 분리해서 돌격 해야겠어!

끝이 보이질 않아….

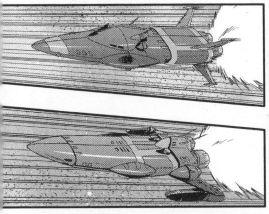

파

앗

작동
개시합니다!

드디어!

사령관님

버스터 머신 3호의 슬레이브 기동 준비가 완료 됐습니다!

슈바르츠실트 반경 도달까지 앞으로 40초.

조금만 더 버텨다오…!!

부탁 한다…!

10

카운트다운 개시합니다!

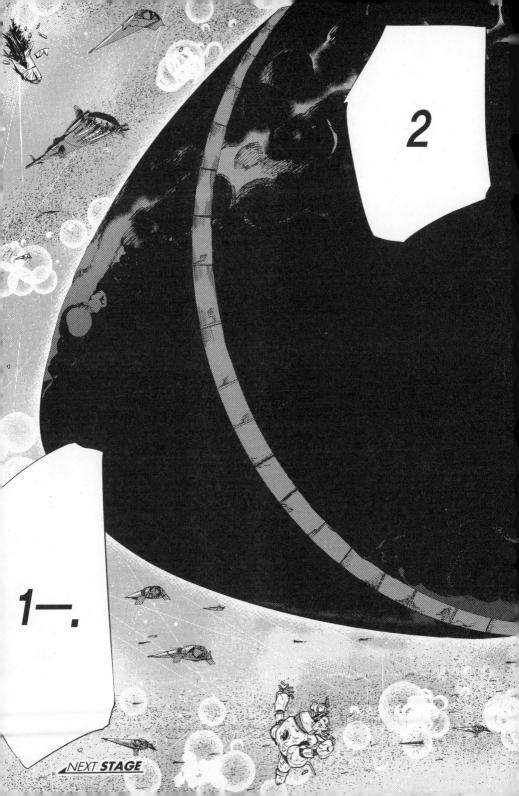

2

1—.

STAGE.28

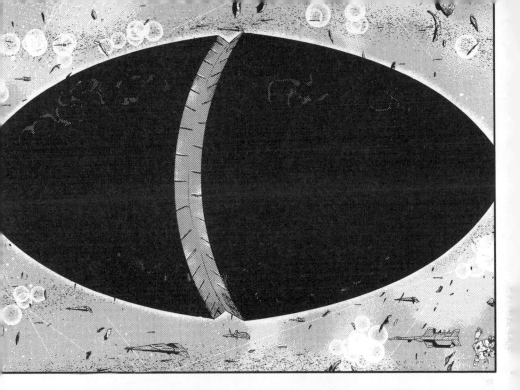

축퇴 연쇄를
일으키기엔
2%의 질량이
부족합니다!

기… 기폭 실패!
예상 수치 이상의
손상으로
일부 슬레이브가
작동 불능!

뭐라고?!

기폭
실패…?

블랙홀
폭탄이…

불발…?

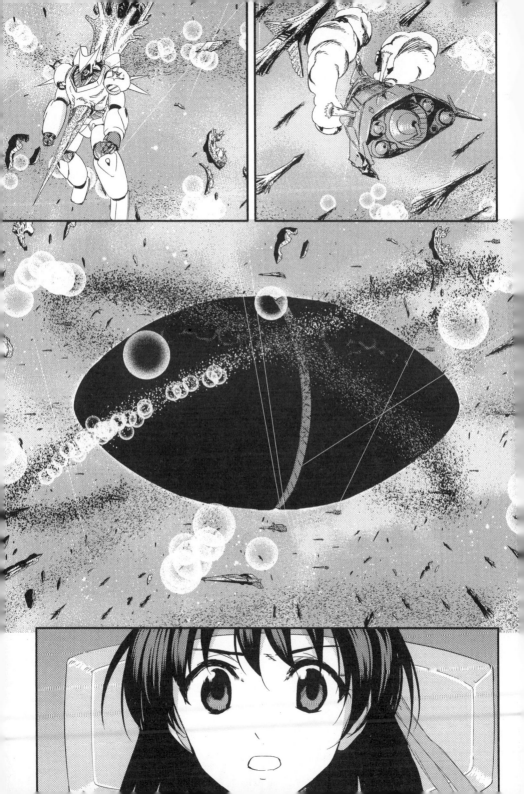

나와 버스터 머신으로 할 수 있는 일은… 아무것도 없는 거야—?

이대로 가다간 전멸한다 —.

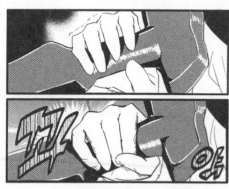

그 동력원은 …—!!

맞아… 버스터 머신….

공작함 에니온, 적의 방해로 아직 블랙홀 폭탄 손상부에 도달하지 못했습니다!!

시즐러 부대 전투 불능 67%

손상을 입었어도 항행 가능한 전함은 지금 당장 포인트 E-00으로 집결하라!!

통신 두절 함정이 1700척을 넘었습니다!!

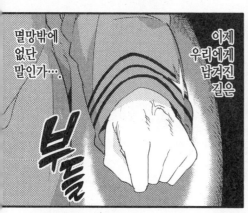

멸망밖에 없단 말인가….

이제 우리에게 남겨진 길은

인류의 미래를 개척할 블랙홀 폭탄마저 불발로 끝났다.

수많은 희생을 치러가며 간신히 최종 국면을 맞이한 우주 괴수와의 전쟁.

우리에게 기적을—!

제발… 누구라도 상관없으니

사령관님!!

그런 게 가능한가?!

그러면 축퇴 연쇄가 일어나면서 기폭시킬 수 있어요!

하지만 그렇게 한다면 당연히 파일럿인 자네도 무사할 수는 없네.

목성 중심핵의 압력을 버틸 수 있는 버스터 머신이라면 말이지요─.

이론적으로는 가능합니다.

각오한 바입니다.

…….

진심이로군.

......

끄덕

감사합니다, 사령관님.

타카야, 자네에게 맡기겠네.

...알겠다.

그래… 부탁한다.

타카야 노리코 소령, 작전을 개시하겠습니다.

그럼

내가 모두를 지켜보이겠어ー.

네!

미안하다…

이대로 단숨에ー.

거리 약 1만.

노리코!

뭘 하시는 거예요?!

언니는 남아계세요.

......!

축퇴로가 두 개 있으면 있으면 남은 하나로 지구에 돌아갈 수 있어.

노리코!

둘이서 함께 돌아가자. 알았지, 노리코?

...네.

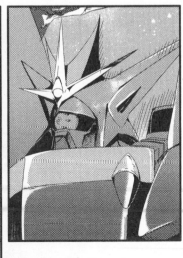

…이것이…

목성….

가자,
노리코.

그래.
3만분의 1로
압축시킨
목성.

표면 온도 1600K, 외압 15600TPM.

괜찮아. 아직 버틸 수 있어.

?!

잠깐 기다려!!

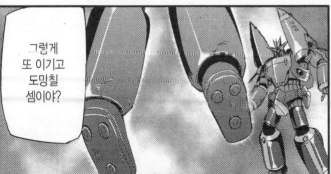

그렇게 또 이기고 도망칠 셈이야?

반드시 돌아올 테니까,

우리는 죽으러 가는 게 아니야.

네가 오면 확실히 죽는다고!

지금이 농담할 때야?!

네가 말하는 그 조금이

......

그때까지 조금만 기다려줘.

도대체

어느 정돈데?

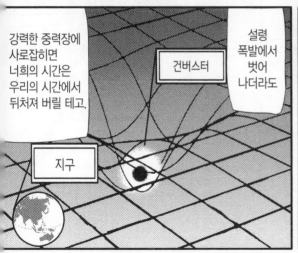

강력한 중력장에 사로잡히면 너희의 시간은 우리의 시간에서 뒤처져 버릴 테고.

건버스터

지구

설령 폭발에서 벗어 나더라도

초 근접 거리에서 블랙홀 폭탄을 기폭시키면

무사히 끝날 리가 없지.

몇백 년이 걸릴지, 몇천 년이 걸릴지 모르잖아…. 내 말이 틀려?

무사히 돌아올 수 있다 치더라도

사실상 죽으러 가는 것과 뭐가 달라?!

그게

카즈미의 제자들과도 만날 수 없단 말야…

그리고—

남겨진 노리코의 친구들이나

……．

큭ㅡ！

너에게는
정말
실망했어,

융….

언니…．

이곳은
전장
이야.

그런
사고방식
으로
용케
지금까지
살아
남았구나.

착각도
유분수지,

헤어
지는 게
싫으니까
여기서
죽겠다고?

그 영향으로 세계가 어떻게 변해버릴지 알 수가 없어.

이제부터 우리는 블랙홀 폭탄을 폭발시킬 거야.

그렇게 한가한 시간이 남아있을 것 같아?

그리고 혼자 남겨져서 비참한 시간을 보내?

우주 파일럿으로서 해야만 하는 일들이 산더미처럼 있을 테니까.

너는 앞으로 그 뒤처리를 하느라 정신없을 거야.

네가 정신 차려주지 않으면 곤란하거든?

그중에는 우리가 돌아올 장소를 확보해야 하는 일도 있고.

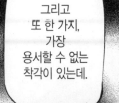

그리고 또 한 가지, 가장 용서할 수 없는 착각이 있는데.

나는 단 한 번도 너를 친구라고 생각해본 적이 없어.

어... 언니.

내가 언제부터 네 친구가 됐지...?

노력가에 지기를 싫어하지.

고집불통에다 거만하고

생애 최대의 라이벌이야.

나에게 너는 친해지고 싶은 대상이 아니라

그렇지 않은가 보지?

그런데 너는

...물론

나에게도
마찬가지야.

......

두고 봐.
네가 평생 걸려도
따라잡지 못할
위업을
이룩해줄 테니까.

...
충분해.

우리의
승부는
앞으로도
계속될 거야.
그거면
되는 거지?

...그래.

할 수 있다면
어디
해보시든가.

돌아왔을 때,
내 앞에서
주저앉는
네 얼빠진
표정이
기대되는걸.

노리코.

......

카즈미는
성격이
최악이지만

능력은
확실하니까.

같이
못 가서
미안해.

응.

노리코
...?

...아,
아뇨.
그런
의미가
아니라.

응,
잘 알고
있어.

...아,
그건
노리코가
더 잘 알겠네.

몇 년이 걸리든
상관없으니까
꼭 돌아와야 해,
둘 다.

너희가
돌아올 곳은
내가 반드시
지켜줄게.

알았어….

키미코에게도
전해줘.
반드시
돌아간다고.

응….

…….

이제 슬슬
돌아
가야겠다.

…안녕이라는
말은
하지 않겠어.

그럼
융….

…그래.

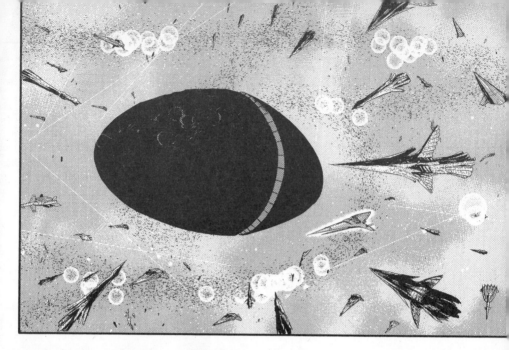

으윽…!

그때 까지만 버티면 돼!

신경 쓰지 마라!

이제 곧 건버스터가 블랙홀 폭탄을 기폭시킬 거야!

57번 구획에 피탄!

네,
언니.

서두르자,
노리코!

GunBuster

STAGE.29

모두
사용할 수
없게
됐어….

이제
버스터 빔,
버스터
컬라이더

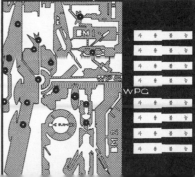

그 사람이
만든
버스터라면….

하지만
괜찮아….

부탁해,
건버스터….

조금만 더
버텨줘―.

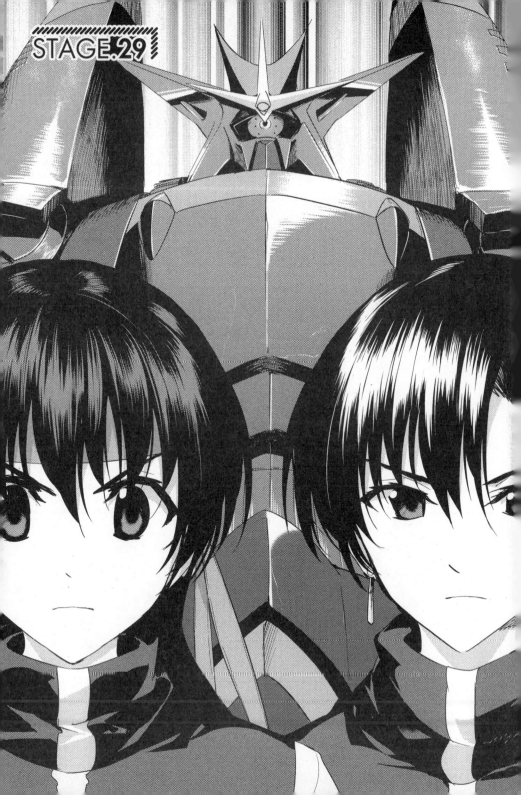

우리는 이제 곧
블랙홀 폭탄
기폭에 맞춰
초 장거리 워프로
전 함대가
이탈한다.

시즐러
각 부대에
전달!

각 기는
신속하게
퇴로를
확보하고
모함으로
귀환하도록.

한 마리라도 더 길동무로 삼아주마.

이대로 대장의 원수도 못 갚고 돌아갈 순 없지.

우주 괴수 놈들.

반복한다. 시즐러 부대는 신속하게ー.

웃...!

우워어 어어!

……!!

유…
융 중령님!

이런 데서
뭘 하는
거야?!

—저는
여기서
싸우다
죽겠습니다.

진작
철수 명령이
내려왔을
텐데?

죽어간 전우들을
위해서도….
한 마리라도 더 많은
놈들을 쓰러뜨리고
전우들이
있는 곳으로
가겠습니다….

그런 짓을
저 두 사람이
용납할 것
같아?

……

그들이 남겨준
목숨을
귀하게
여기도록 해.

죽어간
전우들이
정말로
소중하다면

상처 입은
지구와
태양계
재건이라는
사명이.

우리
에게는
아직
사명이
남아있어.

……

그게 전장에서
흩어진
전우에게
바칠 수 있는
유일한
보답이니까.

그리고
전력을
다해서
살아.

나는
살아
가겠어.

그렇지?
노리코,
카즈미.

아…
네…!

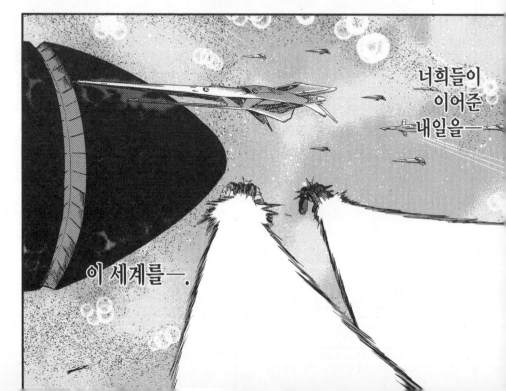

너희들이
이어준
내일을—

이 세계를—.

보이기
시작했어,
노리코,
목성
중심핵이야.

......

할게요,
언니.

그래.

미안해,
건버스터….

으…
윽….

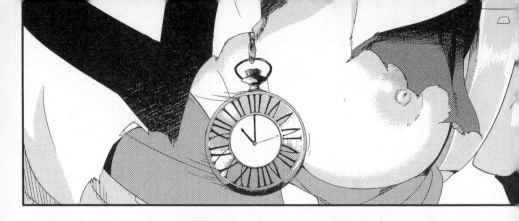

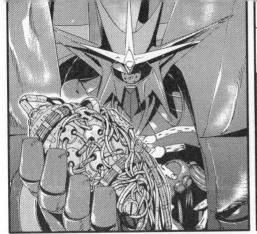

전원 오프.
1호 노심,
전 출력 전개.

축퇴
개시!

임계점
도달까지
7…

6

4　5

자주 만나러 못 가봐서 미안해.

키미코… 타카미.

이제 드디어 모든 게 끝날 거야.

아빠… 코치님, 스미스… 그리고 모두들―

고집 센 면도 있지만, 강하고 다정한 융이라면 걱정 안 해도 되겠지?

응… 뒷일은 맡길게.

임계점 돌파!

그리고

3…
2…
1….

REDZONE

축퇴로 폭주 상태

DANGER

MAX

158

언니를 만나서 정말 다행이에요—.

언니...

지금까지 저를 이끌어 주셔서 고맙습니다.

노리코!!

지금이야!

우아아아아아아아아아아!!

해낸 건가
…!

제3차
축퇴
개시!!

축퇴
연쇄를
확인.
재시동
했습니다!

…그래.

사령관님 ―!

알겠
습니다!

전선을
이탈하고
초 장거리
워프를
개시하라.

전 함대에
전달.

…그리고 ―
미안하다.

고맙구나…
타가야.
카즈미.

노리코…
카즈미…

나는 언제까지나…

기다리고 있을게….

슈우우웅

꾸하아악

...방금
노리코
목소리가
들렸거든.

왜 그래,
엄마?

분명 기분 탓이라니까.

여긴 지구인걸.

그럴리가 없잖아.

아하하.

노리코 언니…?

조금 정도는 기적이 생겨도 이상하지 않은 날이야.

오늘은 칠석이잖니.

…타카미.

한 번만 더

—하지만 이왕 기적이 일어날 거라면

노리코를
만나고
싶었는데….

다시 한번 노리코를
만날 수 있기를

뚜욱…

LAST STAGE.

LASTSTAGE.

나…
약속을 지키지
못했어….

미안해.
키미코,
응….

빛조차도
빠져
나갈 수
없는
초중력
공간—.

블랙홀의
슈바르츠실트
반경 안으로
들어왔다….

!!

…포기할 거니,
노리코?

다시
말해—

노력과
근성에
한계 따윈
없다.

무한하다는
소리야.

건버스터의
힘은

노력과
근성을!!!

자아...
지금
이 자리에서
보여봐라.
네 안에
깃들어 있는

넷!!

다리
부분
퍼지
동조!

1호
주추진에
바이패스
커넥트!

가자,
노리코.

네!
워프 카운트
생략!!

축퇴로
임계점

MIN

REDZONE

USER

MAX

talieve to fire

모든
리미터
해제.
2호 노심
임계점.

전개!!

이너셜
캔슬러
(관성
중화
기능)

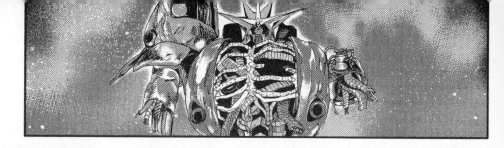

지구—

1만…
2천 년
이나…

흘렀어….

14,292년

07월 07일

키미코…

미안해….

달…

인가…?

…저건…

……

지구에
아무런
불빛도
보이질
않아….

설마…
인류는
이미….

그럴 수가…
융….

우리가…
그 사람이
해왔던
일들이
모두
헛수고였단
말인가…?

아—.

어—?

노리코….

언니….

인류가 있는
이 지구로ー.

잘 돌아 왔어요

우리…
돌아왔구나….

이런 모습이
되면서까지
우리를
지켜줘서….

…고마워,
건버스터….

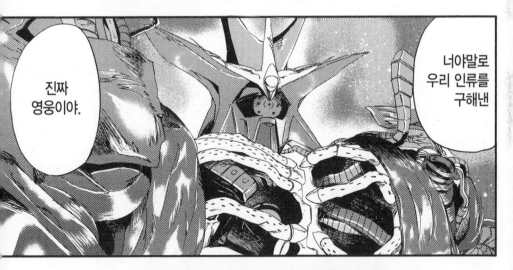

너야말로
우리 인류를
구해낸

진짜
영웅이야.

…….

안녕….

반년 후 —

우리
왔어.

Jung Freud

융…

다녀왔다고
직접
말해주고
싶었는데.

가능
하다면

정말로
이젠…
없는
거구나….

그 후로 반년…
융의 모습도
목소리도
선명하게
기억나는데…

…생각해보면
우리는
싸우기만
했지.

마지막까지
솔직한 미움을
전할 수는
없었지만.

…그렇지만
내가 감정을
다 드러내고
맞설 수
있었던 건…
그 사람과
너뿐이었어.

…우리도
살아갈게.

너희가,
그리고

우리가…

다 함께
지켜낸
이 세계를.

융 프로이트

그리고
최후를 맞는
그날까지도
노리코,
카즈미와의
재회를
기대했다고
한다.

2489년,
우주 최초로 발발한
전쟁에서는
우주 방사선병을
앓고 있음에도
불구하고
코치로서 분투했다.

은하 중심
돌격 함대가
태양계로
귀환한 뒤,
은하 연방
초대
대통령으로
취임.

오오타 카즈미
귀환 후에는
해동된 엘트리움의
2대 함장으로 취임.
평생에 걸쳐 노리코를
공과 사로 지원했다.

…자아.
우리도 갈까,
노리코?

사절단
여러분이
기다리고
있을 거야.

타카야 노리코
전설의 영웅 '노노리리'라는
애칭으로 환영받았다.
은하 특파 대사를 역임한 뒤,
카즈미와 함께 오키 여고를 재건.
또한 황폐해진 지구와 태양계 부흥에
진력하는 모습에
'태양의 소녀'라 불리며
많은 사람들에게
사랑받았다.

네,
언니.

그럼—

우리
다녀올게.

■FIN■

전전긍긍
했습니다만,

메카닉
같은 건
진혀
못 그리는데.

연재를 처음
시작했을 땐
끝까지
그릴 수
있을지

무사히
마지막 장면
'잘
돌아왔어요'를
그리게 돼서
정말 기뻐요!

약 2년 반에
걸쳐서 연재한
〈톱을 노려라!〉
여기서
완결입니다!

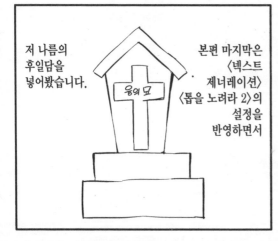

저 나름의
후일담을
넣어봤습니다.

본편 마지막은
〈넥스트
제너레이션〉
〈톱을 노려라 2〉의
설정을
반영하면서

노력과
근성으로
헤쳐
나갔습니다.

노리코와
저를
겹쳐보게
되면서

오-호호호호

무덤 안에서 카즈미를 향해 의기양양한 표정을 짓는 게 가장 어울릴 것 같았어요.

냉동 수면으로 두 사람을 기다리는 것보다는 끝까지 싸운 뒤에

융은 노리코와 카즈미가 돌아올 곳을 만들겠다고 선언한 만큼

노리코와 카즈미의 뒷이야기도, 지구로 귀환한 사람들의 이야기도 그려보고 싶었지만…

그건 다음 기회를 기약하기로…!

마지막이 되겠지만, 담당해주신 키우치 님.
바쁘신 와중에도 항상 체크와 조언을 해주셔서 마지막까지 그릴 수 있었습니다.
가이낙스의 사토 점장님. SF 고증과 귀중한 조언 덕분에 이 작품에 깊이가 더해졌어요.
카토키 하지메 님. RX-7의 멋진 새 디자인 정말 고맙습니다.
어시스턴트 요시키 씨, 요시무라 씨. 난해한 요구에도 항상 좋은 결과 내주셔서 고마워요.
그리고 이 책을 봐주신 독자 여러분. 마지막까지 그려낼 수 있었던 건 다 여러분 덕이에요.
거듭 거듭 감사합니다.

또 다른 작품으로 만났으면 좋겠네요.
그럼 다시 만날 그날까지!

방이 방이

twitter: kabotya4

톱을 노려라! 5

2024년 4월 23일 초판 인쇄 2024년 4월 30일 초판 발행

만화_ Kabotya **원작**_ GAINAX

번 역_ 허윤 **발행인**_ 황민호 **콘텐츠1사업본부장**_ 이봉석
책임편집_ 장숙희/윤찬영/전송이/조동빈/옥지원/이채은/김정택

발행처_ 대원씨아이 **주소**_ 서울특별시 용산구 한강대로 15길 9-12
전화_ 2071-2000 **FAX**_ 797-1023 **등록번호**_ 1992년 5월 11일 등록 제 1992-000026호

ISBN 979-11-7203-073-5 07830 ISBN 979-11-7203-068-1(세트)

TOP O NERAE! Vol.5
©BANDAI VISUAL·FlyingDog·GAINAX
First published in Japan in 2013 by KADOKAWA CORPORATION, Tokyo.
Korean translation rights arranged with KADOKAWA CORPORATION, Tokyo.